THEME：旻河

THEME : 弄河

발 행 | 2024년 05월 07일

저 자 | 백노아

펴낸이 | 한건희

펴낸곳 | 주식회사 부크크

출판사등록 | 2014.07.15(제2014-16호)

주 소 | 서울특별시 금천구 가산디지털1로 119 SK트윈타워 A동 305호

전 화 | 1670-8316

이메일 | noxh.nox@gmail.com

ISBN | 979-11-410-8382-3

www.bookk.co.kr

THEME
旻河

백노아 저

목차

프롤로그

나의 글을 사랑하는 그대에게.

안녕 그대, 내가 사랑하는. 글로써 인사를 나누는 것은 아무래도 처음인지라 상당히 긴장되기도 하네. 그대가 좋아한다기에 써본 것들이야, 부디 기쁘게 받아줘.

그대가 뱉은 말들로 글을 써봤어. 마냥 마음에 드는 글들만 존재하지는 않을 테지만 나름의 미학이 있다 생각하고 부디 마음 쓰면서 보아줄래. 값어치는 받지 않고 싶네, 오로지 그대를 위한 글을 쓰면서 활자의 대가를 요구하는 건 너무한 처사 아니겠니. 난 그대가 좋아, 어쩌면 훗날 나의 치부로서 여겨질 이 글들을 기꺼이 건넬 만큼.

나는 그대와 함께 기꺼이 살아가면 좋겠어. 그대와 나는 끝을 맞는 여름에 함께 잠겨가면 좋겠어. 사랑하는 나의 여름하늘과 하늘 따라 흐르는 강에게.

당신과 내가

지날 여름은

인간의 진실

인간이라는 건 말야 이기와 모순으로 똘똘 뭉쳐 있는
덩어리에 불과하지 어디가 진짜인지 어디가 가짜인지
그걸 구분하는 건 신조차도 못 할 것이니까

그래 하지만 난 당신을 사랑해

이것만은 거짓이 아니야

어디서부터 어디까지 진실일까?

그럼에도

NEVERTHELESS. 그럼에도 불구하고.

NEVER THE LESS. 보다 적은 것은 영원히 아니하고.

NEVERTHELESS, I LOVE YOU.

그럼에도 불구하고, 그대를 사랑합니다.

NEVER THE LESS, I LOVE YOU.

절대 그보다 적지 않게, 그대를 사랑합니다.

열병

지독하게 앓은 사랑에 움직이지 못하여도 심장이 뿜어
내는 열기에 천천히 잠식되어 죽어가는 나는 익사라는
단어가 왜 이리 좋은지 모르겠다 끓어오르는 핏물을 뱉
어내면 나의 손에 떨어지는 이름 없는 약 연명을 위한
것인지 단명을 위한 것인지는 알아야 할 것 아니니 끝
내 약의 이름조차 알려주지 않고 사라진 그대의 뒷모습
이 약의 이름을 나타내고 있어

만약이라는 약은 왜 이리 쓰이는 곳이 많은지 모르겠네

내 모든 하루에 네가 있었음을

안녕 주인공. 언제나 멀리서 그대를 지켜보고 있었어 모두에게 사랑받고 행복해 보이는 당신을 말이야. 많이 기뻐? 그대가 기쁘면 나도 기쁜데 혹시나 하여 나를 찾고 싶더라도 그런 행위는 하덜덜 마. 알아봐서 좋을 것 없지 않겠니.

나의 모든 하루에는 그대가 있었어. 몰랐겠지. 모르길 바라. 그럼 또 연서 보낼게.

죄악

그대를 감히 품었다는 뻔하디 뻔한 죄악. 나에게 죄의 무게를 묻는 그대의 법복은 기어코 깨끗했는지. 타인이 들이부은 나와 같은 죄의 얼룩으로 이미 물든 것이 뻔히 보이는데.

두 계절

세계에 두 개의 계절만 존재한다면 봄과 여름이었으면
해, 청춘과 낭만의 계절 아니니. 불가피한 상황에 있어
모든 계절을 생략해도 여름만은 생략하지 않을게. 봄을
집어삼킨 여름은 그대의 계절이니까.

여름 환상

밤하늘의 별은 그 어느 때보다 반짝였지 그걸 보고 그
대는 뭐라 말했을까. 있잖아 사랑이라는 게 뭐야? 겨울
에 뜨는 오리온자리 혹은 그와 반대되는 위치에 있는
무언가. 눈을 떠보니 모두 한낱 꿈이었던 건에 대하여.

맺음말

추신.

그대가 사는 여름에 뜨는 달은 늘 아름다웠어.

두 개의 심장

나에게 두 개의 심장이 있었더라면 하나는 끄집어내어 쥐어짜고 사방으로 흐르는 피를 긁어모아 그대에게 갖다 바치고. 더 이상 펌프질을 하지 않는 죽어버린 하트 형상의 껍데기는 굴복의 전유물이지, 속이 뭐가 중요해 모두가 껍데기뿐인걸.

나에게 두 개의 심장이 있었더라면 하나는 가만히 놔둘 게. 천방지축 중구난방 날뛰는 심장이 어쩌면 그대의 눈에 일 초라도 들 수 있을까봐. 그대의 눈에 드는 순간 심장의 박동은 멈추고 그대의 손에 떨어지는 건 두 개의 껍데기뿐일지라도.

물고기를 훔치는 법

시종일관 펄떡펄떡 뛰어대는 비린내 나는 박동에 짜디
짠 소금에 발작하며 숨구멍을 갈망하는, 결국에 끝은
절명으로 나는. 비린 맛을 혐오하던 그대는 그래서 나
의 심장도 거부했는가, 있는 것 다 꺼내어 속까지 보여
주었는데. 차마 그대의 발작은 꺼내어 갖고 도망칠 수
없었는데, 애초에 그대에게서 도망치지 못하기에 도마
위에 엎어져 몸이 토막나는 것이 낫다고 생각하였을 뿐.

사랑도 먹을 수 있나요

우리가 서로에게 가져야 하는 에티켓은

단 한 순간도 급하게 먹지 않기

서로를 바라보며 다정하게 한 번이라도 먹여주기

수저로 시끄러운 소리를 내지 않기

다 먹은 접시는 도로 가져다 놓기

서로의 심장을 씹어먹은 채 우리는 서로를 보며 웃고는

한 줄

그대를 사랑합니다.

이것도 서신이라 쳐주십니까.

발신인 불명.

수취인 역시 불명.

이상기후

그대가 좋아하는 여름에는

올해도 눈이 올런지

붉고 붉은 붉음

붉은빛 도는 심장이 가장 신선하고 비릿하잖아, 원초적
인 애정의 맛. 그렇담 한참 퇴색하여 붉고 붉디 붉은
것을 넘어 거무튀튀하게 썩어버린 사랑의 메뉴 이름을
붙인다면 무엇이 되겠나.

밀려버린 일기

그대가 떠나버린 공란에 담을 수 있는 날짜는 없었네.
그 시간을 하나로 묶어 내던져버리기엔 산산조각 날 시
절의 파편이 두려웠나 보다. 먼 훗날 다시 꺼내들었을
때 불규칙한 비수가 후회로 똘똘 뭉쳐 있을까봐.

나의 사랑 시는

새벽이라는 흔하디 흔한 감성에 취해 숨조차 쉬지 못하고 백지 위를 내지른 잉크는 검은색이었니 투명색이었니 혹은 여타의 것이었니 유일하게 색이라는 것만이 잉크를 정의할 수 있다는 것이 애석할 따름이네 무색무취의 액체를 흘려보내는 나의 시는 문학조차 아니며 하소연과 한탄에 그칠 뿐인데 어찌 달리할 도리가 있겠냐고

균형과 평형

사이가 적당하다며 그대는 말간 얼굴로 웃지. 어디 하나 치우치지 않은 극도의 균형 상태, 그래서 더 위태로웠던. 차라리 한 번쯤 교차했다면 불안에 떠는 심장이 안정되었을 진데. 곧 깨질 것 같은 균열은 그대는 어디라도 있을 기스 정도로 여기고 기뻐하더라. 균형은 곧 평행이라 하였는데 안타깝게도 만나지 못하는 것을 평행이라 정의하는 선조들의 굳센 마음은 지금까지 유지되었을 따름이야.

사랑이 없던 시절

사랑이 사랑이라고 채 정의되기도 전의 인류는 적합한 단어를 찾지 못해 얼마나 단순했을까. 차라리 가슴을 타넘고 울렁이는 육체의 굴곡을 그 자체로의 어여쁨으로서 받아들였겠지. 아, 그래서 왜 이 얘기를 갑자기 하냐고.

선배, 우리 그냥 원초적으로 사랑하시죠.

나의 새벽

그대가 값싸다며 나에게 사기를 종용했던 그 새벽의 값
을 차마 다 기워내지 못할 정도로 가난했어 그대의 숨
결에 고개를 파묻고 맞는 새벽은 절대 오지 않을 그 시
간을 맞기 전에 죽지 않으리 맹세하기에

나의 새벽은 단 한 순간조차 죽지 않았으니까

릴리의 세계

감언과 환영으로 눈동자에 불투명을 치발랐던 영혼의 악마는 아카드어에서 하얀 꽃잎으로 번역되어 공중에서 흩어졌어. 낙화를 초래했던 그대가 살고 있는 나의 세계가 지리할 정도로 미웠었는데. 이제는 알겠네, 그 시기심이 결국에는 그리움으로 치환되리라는 것을.

나의 릴리, 나의 백합, 나의 악마.

데이지

천진난만히 방긋 웃는 미소를 바라보다 고개를 돌려. 사랑받지 못한다는 말. 거짓말, 거짓말이야. 그런 겸손 따위 존재할 리가 없잖아. 그리 아름다우면서 무슨 권리로 안쓰런 말을 입에 올리는지. 고작 이게 뭐야, 지나친 겸손은 오만이잖니.

책갈피

사람들은 모든 책에 책갈피를 꽂아놓냐는 물음을 들은
적이 있었어. 책갈피는 왜 존재하는 걸까. 잊어도 되는
것을, 언제나 펼쳐볼 수 있는 것을 그래도 기억하고 싶
어서 맨발 아래 자박자박 깔리도록 펼쳐놓음의 징표일
까. 그럼 나의 책갈피는 말린 수국으로 할래. 가능하담
흰색으로 부탁해.

너의 가장 작은 우주가 되고 싶었을 뿐인데

많은 것을 바라지도 않았어. 한 조각까지 바라지도 않았으니까. 딱 원소 하나, 원자 하나, 그 정도만. 나는 그대에게 많은 것을 바라지 않았는데 그것이 곧 많은 것을 바란 오만이 되었나 봐. 그대의 가장 작은 우주가 되고 싶었을 뿐인데, 그대를 이루는 입자는 너무나도 컸으니까.

하월

잠이 오지를 않아, 잠을 이루지는 못해. 불면이 깊어가
는 여름의 밤, 끝나지 않을 것만 같던 더위의 어둠에서
유일하게 나의 곁에 있어 주었던 건 그대의 찬 손뿐이
었어. 이루 말할 듯하면, 열대야에 허덕이는 나에게 주
어진 한소끔 주어진 달가루였고.

불치병

인간은 낫지 않을 병을 끌어안고 태어나서 평생 그 고통에 헐떡거리다 영원히 잠들어. 내가 태어난 세계에 당신이 있더라면 그 사실은 더욱 뚜렷해지겠지. 반박은 받지 않아, 당신의 존재 자체로.

망각의 천사

기억은 생성보다 소멸이 쉽대. 누가 그러니. 신의 수호
자라도 나타나 지워준다니. 그리 쉬운데 하지도 못하고
빙빙 맴도는 나는 구원받지 못한 금수라는 이름의 미물
에 불과하니.

염병, 그렇게 간단한 것이었으면 이미…….

러브 피치 클럽

그대가 처음 이 색채를 나의 눈앞에 들이밀었을 때 나
는 거부했지, 나와는 맞지 않는 색이었거든. 하지만 머
리에서 그 쨍한 어른거림을 지울 수 없었을 때 비로소
그대의 그림은 나의 안에 선명히 맺혔겠지. 아담과 이
브가 깨물었던 선악과는 알고 보니 복숭아였을지도 모
르겠다. 그래서, 이렇게 다디단 과일을 건네지 못하는
나라도 사랑해 주실래?

푸딩

두 시간 이상

애정 300g

감언 120g

낭만 3개

추억 2방울

시간 4큰술

세상에서 가장 완벽한 디저트

가장 완벽한 새벽

완벽한 새벽의 필요조건

울지 않을 것

아무 생각 없이 편히 잠들 것

꿈을 꾸지 않을 것

중간에 깨지 않을 것

나의 완벽한 새벽은 그대로 인해 도래하지 않아

어쩌면 영원히

원 웨이 러브

그것 아니. 내가 스스로 그러할 능력이 되지 못한다는 것을 깨달을 때가 인간에게 주어진 최악의 잔혹이야. 그리하여 스스로 자신이 갈망하던 것을 놓을 때 무형의 손에 떠밀려 절벽 심한 곳으로 굴러떨어지지. 부서진 팔과 다리보다 아픈 건 수만 갈래로 찢어진 마음이라 한다면.

알고 있었어.

그대에게 사랑이라는 단어를 듣는 것은 나의 자만과 오만에 가까워서, 차라리 기적이라 칭하는 것이 옳다는 것을.

일기

나의 기록이 죄 그대라는 시어로 점철되어 버린 탓에
여타 이야기가 들어갈 백지를 잃어버렸어 나의 하루는
그대로 메웠고 더 이상 내 생의 주인공은 내가 아니네
주권을 잃은 삶이 무슨 의미가 있어 절단내어 버리면
끝인 것을

사랑해, 좋아해

사랑한다는 말보다는 좋아한다는 말이 좋아. 사랑은 하면서 상처를 받으면 안 되는 것이잖아. 그런데 나는 그걸 그렇게 만들 자신이 없어. 나의 애정으로 인해 그대가 지독히도 아플까봐. 나의 애정이 족쇄가 되어 그대를 옥죄고 눈을 가릴까봐. 나는 그냥 좋아만 하련다, 나혼자 아프고 다치는 것이 좋아함의 극단 아니겠니. 그대의 사랑은 다른 사람과 해.

치명적 오류

참담한 현실에 온갖 미사여구를 갖다 붙여 결국에는 낙
원을 만들어내더라도 합리화가 팽배한 세계에 무엇이
의미가 있어 가끔은 진실보다 사실이 올바를 때가 있는
법인데

유결점 심장

사랑 따위 못해. 그렇게 결점으로 똘똘 뭉친 덩어리를 이 심장에 어떻게 밀어 넣어. 이미 상처로 얼룩진 곳에, 자해라도 하라는 소리니. 그대와 하는 사랑은 달기만 할 거라고. 웃기지 마, 그대를 사랑하는 건 행위 자체로 자학이니까.

전부가 되면

전부가 된다는 상상 따위 해본 적이 없어. 나의 분수에
맞지도 않은 것을 어떻게 감히 내가 자행하니, 그것도
내가 미치지 못하는 사람에게. 당신에게 미쳤다는 이유
하나만으로 나의 사랑의 필요조건은 채워지지 못하고
평생 미완결로 남아버릴

불면

새벽바람의 채도를 아는 이유는, 새벽하늘의 색깔은 아는 이유는 그대가 가르쳐주었기 때문이지. 단 한 번도 직접 듣지는 못했지만 세상에는 간접적인 것들도 더러 있더라고. 잠들지 못하는 불면의 밤, 나는 그대라는 호흡에 파묻혀 익사하고.

도피성

차라리 기억하지 못했음 해. 그 어떤 것도. 도망이라는
걸 뻔히 알면서도 너를 잊으려 해. 너를 잊었다 하지.
다시 기억해 주길 바라는 거야? 있잖아, 망애증후군에
걸린 이의 기억을 되돌리는 법은 딱 하나뿐인데. 그냥
네가 죽으면 돼. 나를 위해서 죽어줄래? 너를 위해서
울어줄게.

우리의 영원은

자기야 우리의 영원은 이루어지지 않을 걸 뻔히 알면서
도 달콤하게 속삭이는 진통제에 가까웠고 어차피 박살
날 세계의 끝에서 내가 먼저 손을 놓으면 마지막은 내
마음이 아닌데

답 없는 연서

사실 나는 글이 쓰기 싫었어. 맥락 없이 뒤엉킨 활자가 그득히 쓰인 종이조각을 허벅지에 끼워 넣어보았자 무엇하니. 허나 그대가 좋아했던 나의 모습이 고작 또는 감히 작가일 뿐이라면 어찌할까, 이젠 문인이라 거짓도 읊고하지 못하는데.

당장 죽어도 이상할 게 없을 정도로

죽기 직전의 인간이 한 모습을 알고 계셔? 턱 막히는 숨에 반쯤 풀린 동공에 갈구를 위해 반쯤 벌린 입. 그렇담 이것도 아셔야지. 그 모습이 무릇 쾌락의 정점에 취한 이와 같다는 것을.

사랑은 중독이었고

기약 없는 구원은 기어코 자해가 되어.

네가 나의 문학이었다고

당신이 나의 문학이었다면 주인공은 푸르른 뒷배경을 가진 소녀의 시절을 사는 여학생이었을 테고 장소는 노을이 비치는 방과후의 교실일 테고 너에게 조심스럽게 다가가는 훗날의 사랑 그리고 교실 문밖 차마 들어가지 못하고 머뭇거리는 나

서로의 불안에 익사해

그대는 음습하고 축축한 것들을 좋아한다 하였으니 바닥이 보이지 않는 일렁이는 심해에 거꾸로 떨어져 처박혀도 나와 함께라면 좋다 말하려나. 그냥 그래 줘, 더 많은 건 바라지 않을 테니까. 우리가 고개를 처박고 숨쉬지 못한 그 바다의 이름은 불안이었을까.

내 존재를 모르는 당신은

나는 사실 연명하는 짓을 하기 싫었어. 허나 그대는 그 때의 나를 좋아했지. 그래서 그랬어. 그대는 죽지 못해 사는 나를 살게 만드니까. 그대는 죽지 못해 사는 나를 살고 싶게 만드니까. 그대가 사는 세상이라면 나 역시 도 살아갈 용기가 생겼으니까.

안녕 그대. 지켜주지 못해 미안해.

내 세상이 아무리 척박해도

당신은 끝없이 나를 밀어내고 보이지 않는 아래로 추락
시킨 후에 구원자마냥 손을 내밀어 위선을 부려 나의
한계는 당신으로 특정되고 한결같은 나는 당신에게 미
친놈 취급을 당하며 또다시 끌려가고

유독 시원한 여름에

이번 여름은 저번 여름에 비해 유독 시원하다. 초자연
적 현상으로 나를 희롱하고 그러니 잠들지 않아도 좋다
하며 백야의 환상으로 나를 잠조차 이루지 못하게 하고.
그대는 그대의 말 마디마디는 유독하게도 나를 질식시
켰고 잠재워지지 않은 열기에 천천히 숨멎어가며.

내년 여름에도 내 곁엔 그대가 있었으면 좋겠어.

명도

모르겠는데, 선명한 그대가 좋아. 가끔은 죽일 듯이 밉다가도 가끔 궁금하고 자주 생각나고 항상 보고 싶어. 저는 항상 명확한 것이 좋은데 나의 감정은 희미할 뿐이라고 죽고 싶지. 내가 왜 이러는지 알아, 사실은 나도 몰라. 부디 선명한 답이라도 계시해 줘.

정열에 파란을 섞어

자주색을 애정하는 이유는 내 몸을 타고 흐르는 두 개
의 주류를 섞었을 때 자연히도 나오는 색이었기에 욕조
를 차오르는 더운물에 풀려가는 심상에 취해가며 녹아
가는 것밖엔 할 짓이 없더랬지 온기로 치부한 붉은 빛
의 열병은 고작 다른 이름을 가진…….

크림슨 레이크

그대가 마지막으로 뿌린 물감, 그대와 어울리지 않은 탁한 색상에 의아해하자 가장 좋아하는 색깔이라며 미소 지었지.

이제야 이해할 것 같아. 그대가 좋아하는 색깔에, 내가 퍼붓는 정열의 동맥과 절명의 정맥을 섞어도 티조차 나지 않기 때문에. 그래서 그대는 그렇게 그 색을 좋아했구나.

이유가 달랐다면 더 좋았을 테지만.

목을 맸던 것처럼

그대가 약해질 때 나는 기어코 나의 결점부터 드러냈다. 그게 그대에게 해줄 수 있는 나의 전부였으니까. 강점을 숨기고 약점을 보여주며 그대나 나나 같다는 동질감을 심어주고팠다.

그대가 자살을 운운할 때 냅다 목부터 맸던 것처럼.

너의 계절에는

너의 계절에는 눈이 내리지 않아 이상징후를 이겨내며
단 한 번도 얼어붙지 않은 사계에 허덕이다 뻔하디뻔한
예보를 보며 절망한다 오고 가는 계절에 단 한 번도 시
간이 흐르지 않기를 소망하며

수국과 백합

선배, 그냥 좋아해요. 뭐가 중요해요, 선배가 고민하는 그런 건 뭐랄까— 꽃의 꽃말 같은 것이잖아요? 사람에 따라 다르게 번역되고 마는. 그걸 죽을 만큼 사랑한다고 해석하든지, 사랑하면 죽여버리겠다고 해석하든지. 아, 걱정은 말아요. 사랑한다는 말은 입에 안 올릴게요.

사랑한다 말하면 선배는 기어코 죽어버리고 말 거니까.

리퀘스트

You (LOVE) Me = FALSE

+

I (LOVE) You = TRUE

_____

ERROR

상반된 디자인

왜, 그런 거 있잖아. 겉으로는 너무나도 알록달록해서 마냥 유토피아의 이야기를 다디달게 풀어놓았을 것 같은데, 열어보면 환상은 자유라는 듯 끈적한 액체가 흩뿌려진 테마파크를 전시해 놓는 소설. 이런 소설이 취향이야? 읽어본 적은 있고?

있잖아, 이럴 거면 그렇게 다정하지는 말지 그랬어.

덤

구태여 번지르르한 미학을 고하고 마는 어여쁘지도 않
은 얼굴로 웃어대면서 할 수 있는 것이라고는 구명을
절망하는 것뿐이었으니 알맹이라고는 하나 없는 덤뿐인
허상의 천국이었고

너의 숨결이 담긴 문장에

너의 숨결이 담긴 문장은 열사병이야. 펄펄 끓는 활자의 온도가 온몸을 녹아내려 설령 나의 심장이 철로 이루어져 있대도 속절없이 망가져 버리는. 나는 당신의 문장에서 벗어나지 못해 잠겨가다 마지막으로 열기를 딱 한 번 토해내고 그것이 곧 나의 유서가 될 테지.

내가 네 과거만은 아니길

그대에게만큼은 사랑이자 현재로 남고 싶었다. 단 한 순간도 그대의 몸과 마음에서 떨어지지 못하는 아직도 기생하는 기생충 한 마리. 그대의 쓸모없는 것들을 죄다 갉아먹으며 언제까지고 곁을 지키는 보잘것없는 호위무사. 그러니까 제발 해고하지 말아 줄래.

너 방금 나랑 죽은 거야

그거 알아? 너 방금 나를 죽인 거야. 사랑이라는 감미
로운 발린 말로 내 심장에 칼날을 쑤셔 박은 거야. 어
차피 닿지 않을 거라는 걸 아니까 그 자체가 나에게는
폭력이야. 당신의 유독한 아름다움은 나를 찌르고 나는
역시나 같은 단어로 되갚아주고.

무기는 사랑이 되어 너도 죽이고 나도 죽이고.

미안 나 사랑하는 사람이 없어

미안해, 나는 사랑하는 사람이 없어. 흙바닥에서 떨어져 구른 나의 애정은 사랑으로 칭하기에는 너무나도 더러워서, 폭우에 잠긴 눅눅한 심장을 사랑이라 부르는 사람은 없었으니까. 사랑을 입에 올리고 싶어도 그러지 못하는 이의 마음을 언젠가는 이해하시리라 자만하니.

세상에 왜 영원한 건 없을까

세상에 왜 영원한 건 없을까 영원이라는 말이 존재하긴
하는 걸까 우리는 그저 영원을 염원하며 살아갈 뿐인데
그 이상을 바라는 건 인간의 도리를 뛰어넘는 것일 테
고 당신을 평생 휘어잡을 수 없어 헐떡이다 천천히 익
사하면 나의 숨은 또다시 영원토록 이어지고

난 널 사랑할 때만 숨쉬는 것 같아

나를 사랑한다는 말은 내 숨통을 틔워 글을 사랑하지
않는 내가 글을 쓰게 되고 활자로 목숨줄을 이어 연명
하고 기어이 또다시 호흡하고

그거 알아?

난 널 사랑할 때만 숨 쉬는 것 같아.

에필로그

그대가 일전에 그랬었지. 그대의 새벽은 값싸게 팔린다고. 그러니까 나보고 사라고. 그런데 그대야, 그대의 새벽은 나의 하루보다 비싸. 나는 기꺼이 그대를 위해 나의 모든 밤을 제공해줄 수 있어. 선택적 세일을 뛰어넘은 그대 한정 무료 공개야. 그러니 부디 주저 말고 받아줘. 나는 그대와 함께하는 찰나의 값어치가 달이 떨어트리고 사라져가는 달가루보다 더욱 소중하니까.

그대와 같은 공간에 같은 숨을 쉰다는 것에 감사하고 그대가 내밀어주는 애정에 감동하고 나와는 전혀 다른 색채를 소유한 그대를 남몰래 함께 걷고 싶어하는 소망을 펼쳐봐. 나의 모든 글자들은 그대의 입에서 나왔어. 나의 죽어버린 심장은 그대가 가진 색깔을 전부 살려내지는 못하지만 그래도 그대를 위해 담은 흑연은 부서지지 않기를 바라.

나에게 주는 마음의 크기마냥 기꺼이 하얀색 하트를 붙일게. 그대가 나의 활자를 사랑하는 만큼 나 역시도 그대의 모든 것을 사랑할게. 나에게 주는 애정의 크기와 가치에 다만 조금이라도 뒤떨어지는 사람이 되지 않도록. 길고 짧은 글자들 읽어주어서 고맙다.